Heitor Villa-Lobos

Cinq Préludes

pour guitare seule
per chitarra sola / for solo guitar

édition critique de
edizione critica di / critical editi

Frédéric Zigante

DURAND Editions Musicales

Éditions Max Eschig
© 2019 Éditions DURAND

édition du 12 mars 2019

DF 16578

TABLE / INDICE / CONTENTS

Préface

L'œuvre

Les *Cinq Préludes* de Heitor Villa-Lobos représentent la dernière œuvre pour guitare seule du compositeur brésilien ; ils ne furent très probablement pas conçus pour former un tout, mais leur assemblage et leur mise au point remontent à la fin de l'été 1940[1]. Contrairement à ce qui s'était passé pour les deux autres recueils destinés à l'instrument solo, les *Douze Études* et la *Suite populaire brésilienne*, Villa-Lobos, excepté sur des détails négligeables, ne remania pas les *Préludes* après 1940, pas même lors de leur publication complète aux Éditions Max Eschig (1954). Dédicacés à sa compagne, Arminda Neves de Almeida, les *Cinq Préludes* marquent un retour à l'instrument pour lequel le compositeur n'avait plus écrit depuis la fin des années 20.

On ne dispose d'aucun renseignement certain sur la genèse du recueil ni sur les motivations qui poussèrent Villa-Lobos à le réaliser. Mais ce retour à la guitare n'est vraisemblablement pas sans lien avec les rencontres, survenues à la fin des années 30, entre le compositeur et le guitariste Andrés Segovia. En effet, pour échapper aux horreurs de la Guerre civile espagnole (1936-1939), ce dernier s'était réfugié à Montevideo et la capitale uruguayenne devait rester l'épicentre de son activité musicale jusqu'à la fin de la Seconde Guerre Mondiale. Bien évidemment, Segovia avait montré un vif intérêt pour les précédentes compositions guitaristiques de Villa-Lobos, intérêt qu'il proclama avec une ponctualité méticuleuse à travers interviews et programmes de salle : sur un programme de 1939, relatif à un concert donné en Argentine, l'interprète andalou spécifiait à propos du *Chôros n° 1* : «Choros (de un grupo de obras escritas para guitarra doce de las cuales están dedicadas a A. Segovia)» [Choros (d'un groupe d'œuvres écrites pour guitare, dont douze sont dédicacées à Andrés Segovia)][2].

Durant ses années uruguayennes, Segovia se rendit à plusieurs reprises au Brésil, où il eut l'occasion de rencontrer Villa-Lobos et d'intensifier ses rapports avec lui, comme en témoigne, notamment, une lettre du 22 octobre 1940 qu'il envoya de Montevideo à son ami et compositeur mexicain Manuel María Ponce :

> Villa-Lobos [...] est venu chez moi avec six préludes pour guitare, qu'il m'a dédicacés et qui, avec les douze études précédentes, font seize (*sic*) œuvres. De ce nombre accru de compositions, je n'exagère pas en te disant que la seule valable est l'étude en Mi majeur que tu m'as entendu travailler chez toi. Parmi celles de la dernière fournée il y en a une, que lui-même a essayé de jouer, d'un ennui mortel. Elle tente d'imiter Bach et à la troisième phase d'une progression descendante – donc, d'une régression – par laquelle commence la pièce, on a envie de se mettre à rire... Alors je n'ai pas pu résister à la tentation de lui faire connaître la suite en La mineur que toi, tu m'as écrite...[3]

On ne peut pas soutenir avec certitude que Villa-Lobos, qui avait une pratique quotidienne de la guitare, ait écrit les *Cinq Préludes* en pensant à Segovia, mais leur composition n'est certainement pas sans rapport avec la possibilité concrète que le soliste inclurait le recueil dans son répertoire et le jouerait dans ses concerts.

---

[1] D'après les autographes du compositeur, le *Prélude n° 3* fut composé en août 1940 et le *Prélude n° 5* au mois de septembre 1940. Les autres *Préludes* ne sont pas datés.

[2] Ce programme, daté du 9 juillet 1939, est conservé à la Fondation Andrés Segovia de Linares, en Espagne.

[3] *The Segovia-Ponce letters* (edited by Miguel Alcázar, translated by Peter Segal), Editions Orphée, Columbus OH, 1989, p. 211. « Villa-Lobos [...] vino a casa provisto de seis preludios para guitarra, dedicados a mí, y que unidos a los doce estudios anteriores, forman diez y seis (*sic*) obras. De ese crecido número de composiciones no te exagero al decirte que la unica que sirve es el estudio en Mi mayor, que me oiste practicar ahi. Entre los dos de la última hornada, hay uno, que él propio intentó tocar, de un aburrimiento mortal. Intenta imitar a Bach y a la tercera fase de una progresión descendiente – de una regresión, por lo tanto – con que principia la obra, dan ganas de reir... No pude entonces resistir a la tentación de darle a conocer la suite en La menor que tu me escribiste... ». Andrés Segovia, bien entendu, revint sur ce jugement sévère à l'égard des *Préludes,* tant il est vrai qu'il joua le premier et le troisième jusqu'à la fin de sa carrière, enregistrant le n° 1 en 1952 et le n° 3 en 1954. Le *Prélude n° 3*, celui de la « regresión » évoqué dans la lettre à Ponce, conçu comme un hommage à Jean-Sébastien Bach, est gravé sur le disque de 1954 avec la *Chaconne* de Bach lui-même.

Dans sa lettre à Manuel Ponce, Segovia parle de «seis preludios» et cette mention nous amène à la question controversée de l'existence d'un sixième prélude. D'après le volume que Turibio Santos[4], concertiste brésilien et directeur durant de longues années du Museu Villa-Lobos de Rio de Janeiro, a consacré à la musique pour guitare de Villa-Lobos, l'existence de cette pièce, aussi bien que sa disparition, lui auraient été confirmées par le compositeur en personne. Dans l'ouvrage, on trouve en outre une liste des compositions de Villa-Lobos pour et avec guitare, rédigée par le musicologue Hermínio Bello de Carvalho. L'affirmation de Turibio Santos sur l'existence du sixième prélude est corroborée par de Carvalho, qui attribue par ailleurs au pianiste José Vieira Brandão la déclaration que lui-même en avait vu une copie: «Há pouco tempo, o professor Vieira Brandão me pregou um susto, dizendo que tinha a impressão de havê-lo guardado. O sexto, o Maestro considerava, textualmente, "o mais bonito de todos"» [Il y a peu, j'ai été très étonné d'apprendre par le Professeur Vieira Brandão qu'il lui semblait en avoir vu une copie. Le Maestro [Villa-Lobos] considérait le sixième prélude, textuellement, comme « le plus beau de tous »][5].

On ne peut toutefois s'empêcher d'observer que ces témoignages, remontant presque tous à une période bien postérieure à la mort de Villa-Lobos, ont un caractère anecdotique et sont totalement dépourvus de la moindre preuve documentaire. Le plus ancien d'entre eux, la lettre d'Andrés Segovia, ne peut certes pas être considéré comme très rassurant quant à l'existence de ce sixième prélude, si on tient en compte que la mention des «seis preludios» survient dans un contexte comprenant d'autres données dont pas une ne s'avère fiable, depuis la somme arithmétique des compositions $(12 + 6 = 16!)$, jusqu'à la dédicace au guitariste espagnol, qu'aucune source ne vient étayer.

À partir des années 70 des titres ont commencé à circuler dans l'usage courant, appliqués à chacun des préludes et dont la paternité est assignée à Villa-Lobos lui-même; or il n'a pas été possible de repérer la moindre source de première main concernant ces titres, dont on a pu vérifier uniquement qu'ils furent divulgués par Turibio Santos dans l'ouvrage déjà mentionné. Quant à la source de Turibio Santos, elle consistait en une série de notes prises en 1958, à l'occasion d'une conférence tenue par Heitor Villa-Lobos. En conséquence, ces titres sont reportés ici par souci d'exhaustivité.

Prélude n° 1
Melodia Lírica – Homenagem ao sertanejo brasileiro
Prélude n° 2
Melodia Capadócia – Melodia Capoeira – Homenagem ao malandro carioca
Prélude n° 3
Homenagem a Bach
Prélude n° 4
Homenagem ao índio brasileiro
Prélude n° 5
Homenagem a vida social – « Aos rapazinhos e mocinhas fresquinhos que frequentam os concertos e os teatros no Rio » (sic).

À la différence des *Douze Études*, les *Cinq Préludes* ne constituent pas un cycle unitaire, mais plutôt un ensemble composite de feuilles d'album, dont chacune développe de manière originale un principe stylistique différent. Ainsi, on y reconnaît certains des *topoi* préférés du compositeur, tels que la dévotion pour la figure de Jean-Sébastien Bach, exprimée dans la véritable « bachiana brasileira » en miniature qu'est le *Prélude n° 3*, le lyrisme romantique de Frédéric Chopin (*Prélude n° 1* et deuxième section du *Prélude n° 5*), la musique traditionnelle brésilienne, soit urbaine (*Prélude n° 5*), soit liée à la minorité indienne (*Prélude n° 4*), ou inspirée des populations aux lointaines ascendances africaines, comme le *Prélude n° 2*. Dans la deuxième section de ce dernier morceau, l'imitation du *berimbau* (arc musical originaire de l'Angola muni d'une calebasse ayant fonction de caisse de résonance, qui se joue en frappant la corde avec une baguette) évoque les atmosphères obsessives de la danse guerrière angolaise dénommée *capoeira*. Du point de vue formel également, les *Cinq Préludes* affichent une certaine hétérogénéité: trois d'entre eux (les premier, deuxième et quatrième) présentent une simple

[4] Turibio Santos, *Heitor Villa-Lobos e o Violão*, Museu Villa-Lobos, Rio de Janeiro, 1975.

[5] Turibio Santos relate certains ouï-dire à propos de ce sixième *Prélude* mais il ne paraît pas très convaincu de sa réelle existence, alors que Hermínio Bello de Carvalho n'hésite pas à intituler le recueil *Seis preludios*. *Ibid.*, p. 25 et 54.

forme tripartite ABA, le troisième répond à la forme ABAB et le cinquième au schéma, plus articulé, ABCA. Sur le plan de la technique instrumentale, Heitor Villa-Lobos n'introduit pas ici d'éléments nouveaux par rapport aux cycles des *Douze Études* et de la *Suite populaire brésilienne*: il situe les *Préludes* à un point d'équilibre idéal entre l'écriture encore tributaire du XIXe siècle de la *Suite populaire brésilienne* et l'audacieuse recherche instrumentale des *Douze Études*.

Les sources

Pour établir cette nouvelle édition, les sources suivantes ont été consultées:

1) **Ms-HVL**: manuscrits autographes de Villa-Lobos conservés au Museu Villa-Lobos de Rio de Janeiro[6] (*Prélude n° 1* MVL 1994.21.0039 - *Prélude n° 2* MVL 1994.21.0040 - *Prélude n° 3* MVL 1994.21.0041 - *Prélude n° 5* MVL 1994.21.0044 et MVL 1994.21.0045). Les *Préludes* n°s 1 et 3 sont datés respectivement d'août et de septembre 1940, les autres préludes ne portent pas de date. La numération est manifestement un ajout postérieur à la rédaction des manuscrits, attribuable probablement au compositeur.

2) **Ms-HVL2**: manuscrits autographes d'ébauches préparatoires pour le *Prélude n° 1* (MVL 1993.21.0323 et mu 94.21.748) et pour le *Prélude n° 4* (MVL 1994.21.0042 et MVL 1994.21.0043) conservés au Museu Villa-Lobos de Rio de Janeiro. Aucune date ne se trouve sur ces manuscrits, qui ne contiennent que des fragments de ces pièces, sans trace de doigtés.

3) **Ms-1947**: copie héliographique des manuscrits des *Préludes* n°s 1, 2 et 5, datés de 1947 et rédigés, sous la supervision du compositeur, par Arminda Neves de Almeida; la copie est conservée aux archives des Éditions Max Eschig à Paris. Lors de la remise à l'éditeur Max Eschig de cette héliographie, Villa-Lobos y joignit, pour compléter le recueil, la source MV-1941, décrite ci-dessous.

4) **Ms-An**: copie héliographique du manuscrit du *Prélude n° 4* rédigée, sous la supervision du compositeur, par un copiste anonyme; la copie est conservée au Museu Villa-Lobos de Rio de Janeiro (MVL 1994.21.0379). Le prélude porte la date d'août 1940. Ce manuscrit, qui est le seul complet actuellement repérable du *Prélude n° 4*, présente la même graphie que la copie non autographe de cinq des *Douze Études* que Heitor Villa-Lobos offrit au guitariste uruguayen Abel Carlevaro en 1943.

5) **MV-1941**: édition imprimée des *Préludes* n°s 3 et 4 publiés pour la première fois en janvier 1941 dans le bulletin du groupe Música Viva de Rio de Janeiro. Cette édition fut utilisée par l'éditeur Max Eschig pour préparer l'édition de 1954 des préludes en question.

6) **ME-1954**: édition Max Eschig, publiée en 1954, sous le contrôle de Villa-Lobos, en cinq fascicules séparés portant les numéros de catalogue M.E. 6731, 6732, 6733, 6734, 6735.

7) **ME-1970**: édition Max Eschig, publiée posthume en 1970, de la transcription pour piano réalisée, avec le consentement du compositeur, par José Vieira Brandão. Les *Cinq Préludes* sont proposés en cinq fascicules distincts répondant aux numéros: M.E. 7324, 7951, 7325, 7326, 7952.

8) **ME-2007**: édition Max Eschig présentée comme «nouvelle édition revue et corrigée par Frédéric Zigante». Il s'agit d'une édition pratique, portant le numéro de catalogue DF 15722, entièrement doigtée par le réviseur et pourvue d'un appareil critique succint.

---

[6] Au fil du temps, les manuscrits conservés au Museu Villa-Lobos ont eu au moins trois cotes différentes: celle prise en considération dans cette édition est la dernière en date. L'une des sources, mu 94.21.748 (201.1.4 dans le premier catalogage), conserve sa cote précédente du fait qu'elle n'a pas été recataloguée.

La présente édition

Les multiples questions éditoriales touchant à la musique pour guitare de Heitor Villa-Lobos et à ses premières éditions sont abordées ici sur la base de l'ensemble des sources connues à ce jour : un tel travail de collation permet de parvenir à un texte plus fiable sur le plan des notes comme des doigtés.

La confrontation entre les diverses sources des *Préludes* n'a mis en évidence de différences majeures que dans le cas du *Prélude n° 5* : ces divergences seront examinées dans l'appareil critique.

Nous avons rétabli ici la graphie originale prévue par le compositeur, qui attribuait aux notes deux corps distincts pour souligner la différence de poids sonore entre les diverses parties. Villa-Lobos avait utilisé ce même graphisme dans le *Rudepoêma* pour piano composé entre 1921 et 1926, en spécifiant : « Les notes plus grosses sont pour les faire bien ressortir des plus petites ».

Pour ce qui est des notes tenues et de la polyphonie en général, nous avons jugé opportun de respecter la graphie choisie par le compositeur, même là où la durée réelle des notes est impossible à respecter ou, en d'autres termes, là où le résultat sonore ne coïncide pas parfaitement avec l'écriture. Les liaisons hachurées pour la main gauche sont éditoriales, ainsi que tout ce qui est reporté entre crochets.

Quant à la notation des sons harmoniques, Villa-Lobos écrit les notes qui résulteraient si les doigts de la main gauche pressaient les cordes sur la touche dans la position où, les effleurant, ils obtiennent un son harmonique naturel. Ce système est intuitif et empirique, mais il présente l'inconvénient d'introduire dans le texte des notes complètement étrangères, en fait de hauteur et d'harmonie, aux sons effectivement émis ; c'est pourquoi on a voulu ajouter sur une portée supplémentaire les sons réellement produits. Le compositeur considère les signes > et – comme équivalents. Les glissandos de la main gauche sont indiqués par un long trait reliant les notes impliquées. À plusieurs endroits, explicitement doigtés par le compositeur, le doigt de la note de départ n'est pas le même que celui de la note d'arrivée : cela signifie que l'effet du glissando est plus court par rapport au segment de corde concerné. Par exemple 1-3 sur la cinquième corde indique que le glissando finit deux cases avant la note d'arrivée. Les doigtés, à peine ébauchés dans l'édition de 1954 et dans les différents manuscrits, ont été complétés par l'auteur de ces lignes : les doigtés originaux de Villa-Lobos sont donnés en italique et ceux du réviseur en caractères droits.

Frédéric Zigante
Turin, 9 octobre 2018
traduction de Sophie le Castel

Prefazione

L'opera

I *Cinq Préludes* di Heitor Villa-Lobos costituiscono l'ultima opera per chitarra sola del compositore brasiliano; molto probabilmente essi non furono concepiti come un insieme unico, ma il loro assemblaggio e la loro messa a punto risalgono alla fine dell'estate 1940.[1] Diversamente da quanto era avvenuto per le altre due raccolte solistiche, le *Douze Études* e la *Suite populaire brésilienne*, dopo il 1940, l'autore, salvo che per dettagli trascurabili, non ritornò più sulla loro stesura, neppure in occasione della pubblicazione completa per le Éditions Max Eschig (1954). Dedicati alla compagna del compositore, Arminda Neves d'Almeida, i *Cinq Préludes* costituiscono un ritorno allo strumento per il quale Villa-Lobos non aveva più scritto dalla fine degli anni '20.

Sulla genesi della raccolta e sulle motivazioni che spinsero Villa-Lobos a realizzarla non si hanno notizie certe. Probabilmente non furono estranei a questo ritorno alla chitarra gli incontri avvenuti, alla fine degli anni '30, fra il compositore e il chitarrista Andrés Segovia. Infatti Segovia, per sfuggire agli orrori della Guerra Civile Spagnola (1936-1939), si era rifugiato a Montevideo, e la capitale uruguaiana doveva rimanere l'epicentro della sua attività musicale fino alla conclusione della Seconda Guerra Mondiale. È naturale che Segovia mostrasse grande interesse verso le precedenti composizioni chitarristiche di Villa-Lobos, interesse che l'interprete andaluso propagandò con meticolosa puntualità attraverso interviste o programmi di sala: in una locandina del 1939, relativamente ad un concerto tenuto in Argentina, lo strumentista definiva così il *Chôros n. 1*: "Choros (de un grupo de obras escritas para guitarra doce de las cuales están dedicadas a Andrés Segovia)" [Choros (da un gruppo di opere scritte per chitarra, dodici delle quali sono dedicate ad Andrés Segovia)].[2]

Nei suoi anni uruguaiani Segovia si recò a più riprese in Brasile dove ebbe modo di incontrare Villa-Lobos e di intensificare i suoi rapporti con il compositore, come testimonia, fra l'altro, una lettera del 22 ottobre 1940 da Montevideo all'amico compositore messicano Manuel María Ponce:

> Villa-Lobos [...] è venuto a casa mia con sei preludi per chitarra, a me dedicati e che, insieme ai dodici studi anteriori, formano sedici (*sic*) opere. Di questo numero accresciuto di composizioni, non esagero a dirti che l'unica valida è lo studio in Mi maggiore che mi hai sentito studiare da te. Tra quelli dell'ultima infornata ce n'è uno che lui stesso ha cercato di suonare, di una noia mortale. Tenta di imitare Bach e alla terza fase di una progressione discendente – di una regressione, quindi – con la quale inizia l'opera, fa davvero ridere... Allora non ho potuto resistere alla tentazione di fargli conoscere la suite in La minore che mi hai scritto tu...[3]

Non è possibile affermare con certezza che Villa-Lobos, che aveva una confidenza quotidiana con la chitarra, scrivesse i *Cinq Préludes* pensando a Segovia, ma certo non deve essere risultata estranea alla creazione la concreta possibilità che il solista includesse la raccolta nel suo repertorio e la presentasse nei suoi concerti.

---

[1] Secondo gli autografi dell'autore, il *Prélude n. 3* fu composto nell'agosto del 1940 mentre il *Prélude n. 5* risale al mese di settembre 1940. Gli altri *Préludes* non sono datati.

[2] Questo programma, datato 9 luglio 1939, è conservato presso la Fundación Andrés Segovia di Linares, Spagna.

[3] *The Segovia-Ponce letters* (edited by Miguel Alcázar, translated by Peter Segal), Editions Orphée, Columbus OH, 1989, p. 211. "Villa-Lobos [...] vino a casa provisto de seis preludios para guitarra, dedicados a mí, y que unidos a los doce estudios anteriores, forman diez y seis (*sic*) obras. De ese crecido número de composiciones no te exagero al decirte que la unica que sirve es el estudio en Mi mayor, que me oiste practicar ahi. Entre los dos de la última hornada, hay uno, quel él propio intentó tocar, de un aburrimiento mortal. Intenta imitar a Bach y a la tercera fase de una progresión descendiente – de una regresión, por lo tanto – con que principia la obra, dan ganas de reir... No pude entonces resistir a la tentación de darle a conocer la suite en La menor que tu me escribiste...". Andrés Segovia evidentemente ritornò su questo severo giudizio nei confronti dei *Préludes*, tanto è vero che suonò il primo e il terzo fino alla fine della sua carriera, incidendo il n. 1 nel 1952 e il n. 3 nel 1954. Il *Prélude n. 3*, quello della "regresión" descritto nella lettera di Segovia, concepito come un omaggio a Johann Sebastian Bach, compare nel disco del 1954 accanto alla *Chaconne* dello stesso Bach.

Nella lettera a Manuel Ponce, Segovia parla di "seis preludios" e questo accenno ci porta al discusso argomento dell'esistenza di un sesto preludio. Secondo il volume dedicato alla musica per chitarra di Villa-Lobos da Turibio Santos,[4] concertista brasiliano e direttore per molti anni del Museu Villa-Lobos di Rio de Janeiro, l'esistenza di questo brano, così come il suo smarrimento, gli sarebbero stati confermati dallo stesso compositore. Nella pubblicazione, inoltre, è riportato un elenco delle composizioni per e con chitarra di Villa-Lobos redatto dal musicologo Hermínio Bello de Carvalho. L'affermazione di Turibio Santos sull'esistenza del sesto preludio viene confermata da de Carvalho, che attribuisce inoltre al pianista José Vieira Brandão la testimonianza di avere visionato una copia del brano: "Há pouco tempo, o professor Vieira Brandão me pregou um susto, dizendo que tinha a impressão de havê-lo guardado. O sexto, o Maestro considerava, textualmente, 'o mais bonito de todos'" [Poco tempo addietro, fui molto stupito dall'apprendere dal Professor Vieira Brandão che egli ne aveva visto una copia. Il Maestro Villa-Lobos descrisse il sesto preludio come "il più bello di tutti"].[5]

Tuttavia ancora oggi non si può far a meno di notare che queste testimonianze, quasi tutte risalenti a un periodo successivo di molti anni alla morte di Villa-Lobos, sono di carattere aneddotico e completamente prive di qualsiasi riscontro documentale. La più antica fra esse, la lettera di Andrés Segovia, non può certo essere considerata molto rassicurante sul fatto dell'esistenza di un sesto preludio, poiché la definizione "seis preludios" è riportata in una frase insieme ad altre notizie, nessuna delle quali si rivela attendibile, a partire dalla somma matematica dei brani ($12+6=16$!), fino alla dedica al chitarrista spagnolo, non riscontrabile in alcuna fonte.

Dagli anni '70 circolano nell'uso comune, correlati ai singoli preludi, dei titoli la cui paternità è attribuita allo stesso Villa-Lobos: non è stato possibile però trovare alcuna fonte di prima mano di tali titoli ed è stato accertato solamente che furono divulgati da Turibio Santos attraverso il volume già menzionato. La fonte di Turibio Santos risulta essere una serie di appunti presi nel 1958 in occasione di una conferenza di Heitor Villa-Lobos. I titoli vengono pertanto qui riportati per scrupolo di completezza.

Prélude n. 1
Melodia Lírica – Homenagem ao sertanejo brasileiro
Prélude n. 2
Melodia Capadócia – Melodia Capoeira – Homenagem ao malandro carioca
Prélude n. 3
Homenagem a Bach
Prélude n. 4
Homenagem ao índio brasileiro
Prélude n. 5
Homenagem a vida social – "Aos rapazinhos e mocinhas fresquinhos que frequentam os concertos e os teatros no Rio" (sic).

A differenza delle *Douze Études*, i *Cinq Préludes* non costituiscono un ciclo unitario, ma piuttosto una silloge eterogenea di fogli d'album, ciascuno dei quali sviluppa in modo originale un diverso principio stilistico. Vi si riconoscono dunque alcuni dei *topoi* più cari al compositore, quali la devozione verso la figura di Johann Sebastian Bach, esplicitata in una vera e propria "bachiana brasiliera" miniaturizzata nel *Prélude n. 3*, il lirismo romantico di Fryderyk Chopin (*Prélude n. 1* e seconda sezione del *Prélude n. 5*), la musica tradizionale brasiliana, sia urbana (*Prélude n. 5*), sia legata alla minoranza indiana (*Prélude n. 4*) o alle popolazioni di antiche origini africane, come il *Prélude n. 2*. In quest'ultima pagina, nella seconda sezione, l'imitazione del *berimbau* (arco musicale originario dell'Angola munito di una zucca con funzione di cassa di risonanza che si suona percuotendo la corda con una bacchetta) riporta alle atmosfere ossessive della danza guerriera angolana denominata *capoeira*. Anche sotto il profilo formale i *Cinq Préludes* mostrano una certa eterogeneità: tre di essi (primo, secondo e quarto) seguono una semplice forma tripartita ABA, ma il terzo *Prélude* preferisce la forma ABAB e il quinto quella, più articolata, ABCA. Sul piano della tecnica strumentale, Heitor Villa-Lobos non introduce nuovi elementi rispetto ai cicli delle *Douze Études* e della *Suite populaire brésilienne* ma colloca i *Préludes* in un punto di ideale equilibrio tra la scrittura ancora ottocentesca della *Suite populaire brésilienne* e l'audace ricerca strumentale delle *Douze Études*.

[4] Turibio Santos, *Heitor Villa-Lobos e o Violão*, Museu Villa-Lobos, Rio de Janeiro, 1975.

[5] Turibio Santos riferisce alcune dicerie sul sesto *Prélude* ma non sembra troppo convinto della sua reale esistenza, mentre Hermínio Bello de Carvalho non esita a intitolare la raccolta *Seis preludios*. Ivi, pp. 25 e 54.

Le fonti

Per preparare questa nuova edizione sono state utilizzate le seguenti fonti:
1) Ms-HVL: manoscritti autografi di Villa-Lobos conservati presso il Museu Villa-Lobos di Rio de Janeiro[6] (*Prélude n. 1* MVL 1994.21.0039 - *Prélude n. 2* MVL 1994.21.0040 - *Prélude n. 3* MVL 1994.21.0041 - *Prélude n. 5* MVL 1994.21.0044 e MVL 1994.21.0045). I preludi nn. 1 e 3 sono datati rispettivamente agosto e settembre 1940, gli altri preludi sono senza data. La numerazione è palesemente un'aggiunta posteriore alla redazione dei manoscritti, attribuibile probabilmente all'autore.
2) Ms-HVL2: manoscritti autografi di schizzi preparatori per il *Prélude n. 1* (MVL 1993.21.0323 e mu 94.21.748) e per il *Prélude n. 4* (MVL 1994.21.0042 e MVL 1994.21.0043) conservati presso il Museu Villa-Lobos di Rio de Janeiro. Nessuna data è presente in questi manoscritti, che riportano solo frammenti dei brani e non contengono alcuna indicazione di diteggiatura.
3) Ms-1947: copia eliografica dei manoscritti dei *Préludes nn. 1, 2 e 5*, datati 1947 e redatti, sotto la supervisione dell'autore, da Arminda Neves de Almeida; la copia è conservata presso gli archivi delle Éditions Max Eschig a Parigi. Nel consegnare all'editore Max Eschig questa eliografia, Villa-Lobos allegò, a completamento della raccolta, la fonte MV-1941, descritta più avanti.
4) Ms-An: copia eliografica del manoscritto del *Prélude n. 4* redatta, sotto supervisione dell'autore, da un copista anonimo e conservata presso il Museu Villa-Lobos di Rio de Janeiro (MVL 1994.21.0379). Il brano è datato agosto 1940. Questo manoscritto, che risulta essere l'unico completo attualmente reperibile del *Prélude n. 4*, presenta la stessa grafia della copia non autografa di cinque delle *Douze Études* che Heitor Villa-Lobos regalò al chitarrista uruguaiano Abel Carlevaro nel 1943.
5) MV-1941: edizione a stampa dei *Préludes nn. 3 e 4* pubblicati per la prima volta nel gennaio 1941 sul bollettino del gruppo *Música Viva* di Rio de Janeiro. Questa edizione fu utilizzata dall'editore Max Eschig per preparare l'edizione del 1954 dei relativi preludi.
6) ME-1954: edizione Max Eschig pubblicata, nel 1954, sotto il controllo di Villa-Lobos, in cinque fascicoli separati con i numeri di catalogo M.E. 6731, 6732, 6733, 6734, 6735.
7) ME-1970: edizione Max Eschig pubblicata postuma nel 1970 della trascrizione per pianoforte realizzata, con il consenso dell'autore, da José Vieira Brandão. I *Cinq Préludes* sono presentati in cinque fascicoli separati con i numeri: M.E. 7324, 7951, 7325, 7326, 7952.
8) ME-2007: edizione Max Eschig presentata come "nouvelle édition revue et corrigée par Frédéric Zigante". Si tratta di un'edizione pratica con numero di catalogo DF 15722, interamente diteggiata dal revisore e con brevissimo apparato critico.

La presente edizione

Le molteplici questioni editoriali riguardanti la musica per chitarra di Heitor Villa-Lobos e le sue prime edizioni sono qui affrontate sulla base di tutte le fonti oggi conosciute: questo lavoro consente quindi di arrivare a un testo più affidabile sia sul piano delle note sia della diteggiatura.

Il confronto fra le varie fonti dei *Préludes* consente di evidenziare differenze rilevanti solo nel caso del *Prélude n. 5*: di queste differenze verrà dato conto nell'apparato critico.

È stata qui ripristinata la grafia originale prevista dall'autore che attribuiva due corpi differenti alle note per sottolineare la differenza di peso sonoro delle diverse parti. Questa scrittura fu utilizzata da Villa-Lobos anche nel *Rudepoêma* per pianoforte scritto tra il 1921 e il 1926, con la seguente prescrizione: "Les notes plus grosses sont pour les faire bien ressortir des plus petites" [Le note sono più grosse per farle spiccare rispetto a quelle più piccole].

---

[6] I manoscritti conservati al Museu Villa-Lobos hanno avuto nel tempo almeno tre diverse catalogazioni: quella presa in considerazione in questa edizione è l'ultima in ordine di tempo. Una delle fonti, mu 94.21.748 (201.1.4 nella prima catalogazione), conserva la catalogazione precedente a causa del fatto che non è stata ricatalogata.

Per quanto riguarda le note tenute e la polifonia in generale si è ritenuto di lasciare intatta la grafia scelta dall'autore, anche laddove il prolungamento reale delle note risulta impossibile o comunque il risultato sonoro non coincide perfettamente con la scrittura. Le legature per la mano sinistra tratteggiate sono editoriali come tutto ciò che è riportato fra parentesi quadre.

Per la notazione dei suoni armonici Villa-Lobos scrive le note che risulterebbero emesse se le corde sulla tastiera venissero premute nella medesima posizione anziché essere sfiorate con le dita della mano sinistra generando così un suono armonico naturale. Questo sistema, intuitivo ed empirico, ha lo svantaggio di far comparire nel testo delle note completamente estranee, come altezza e come armonia, ai suoni che effettivamente vengono generati; per questa ragione si è preferito aggiungere su un altro pentagramma i suoni effettivamente risultanti. I segni > e − sono considerati dall'autore equivalenti. I glissando della mano sinistra sono indicati con un tratto lungo tra le note interessate. In diversi casi esplicitamente diteggiati dall'autore, il dito della nota di partenza non è lo stesso di quello della nota di arrivo: significa che l'effetto del glissando è più corto rispetto al segmento di corda interessato. Ad esempio 1-3 sulla quinta corda indica che il glissando termina due tasti prima della nota di arrivo. La diteggiatura, appena accennata nell'edizione del 1954 e nei vari manoscritti, è stata completata dal curatore: le diteggiature originali di Villa-Lobos sono scritte in corsivo mentre le integrazioni del revisore sono in tondo.

Frédéric Zigante
Torino, 9 ottobre 2018

Preface

The Work

The *Cinq Préludes* by Heitor Villa-Lobos represent the Brazilian composer's last work for solo guitar. Although they were probably not conceived as a single work, they were put together and given their final touches at the end of the summer of 1940.[1] Unlike his other two solo collections, the *Douze Études* and the *Suite populaire brésilienne*, the author did not make any more changes to it after 1940, except for negligible details, not even when it was published in a complete edition for Éditions Max Eschig (1954). Dedicated to the composer's companion, Arminda Neves d'Almeida, the *Cinq Préludes* represented a return to an instrument that Villa-Lobos had not written for since the end of the 1920s.

No definite information about the genesis of the collection, or about what drove Villa-Lobos to create it, has come down to us. This return to the guitar is probably not unrelated to the composer's encounters with the guitarist Andrés Segovia at the end of the 1930s. In fact, Segovia had taken refuge in Montevideo in order to escape the horrors of the Spanish Civil War (1936-1939), and the Uruguayan capital would remain the epicentre of his musical activity until the end of the Second World War. Segovia's great interest in Villa Lobos' earlier guitar compositions has been clearly demonstrated: an interest that the Andalusian performer propagated with a meticulous consistency through interviews and programme notes. In a programme from 1939 for a concert held in Argentina, the instrumentalist defined the *Chôros no. 1* as: "Choros (de un grupo de obras escritas para guitarra doce de las cuales están dedicadas a A. Segovia)" [Choros (from a group of works composed for guitar, twelve of which are dedicated to Andrés Segovia].[2]

During his Uruguayan years, Segovia visited Brazil several times, which gave him the opportunity to spend time with Villa-Lobos and to deepen his relationship with the composer, as is evidenced, among other things, by a letter of 22 October 1940, written from Montevideo to his friend the Mexican composer Manuel María Ponce:

> Villa-Lobos [...] came to my home bringing with him six preludes for guitar, dedicated to me: that, put together with the twelve previous studies, make up sixteen (*sic*) works. From this growing number of compositions, I'm not exaggerating when I tell you that the only one of any interest is the study in E Major, which you heard me practicing at your place. Among those of the latest batch is one that he tried to play himself, a crashing bore. The prelude tries to imitate Bach but when it reaches the third phase of a descending progression – better called a regression – with which the piece begins, it starts to become laughable... So I couldn't resist the temptation of showing him the A minor suite that you wrote for me...[3]

We cannot say with certainty whether Villa-Lobos, who was quite familiar with the guitar, wrote the *Cinq Préludes* thinking of Segovia, however, the concrete possibility that the soloist would include the collection in his repertoire, and perform it in concert, must certainly not have been extraneous to Villa-Lobos' thoughts during their creation.

---

[1] According to the author's original manuscript, the *Prélude no. 3* was composed in August 1940, while the *Prélude no. 5* in September 1940. None of the other *Préludes* are dated.

[2] This programme, dated 9 July 1939, is kept at the Fundación Andrés Segovia in Linares, Spain.

[3] *The Segovia-Ponce letters* (edited by Miguel Alcázar, translated by Peter Segal), Editions Orphée, Columbus OH, 1989, p. 211. "Villa-Lobos [...] vino a casa provisto de seis preludios para guitarra, dedicados a mí, y que unidos a los doce estudios anteriores, forman diez y seis (*sic*) obras. De ese crecido número de composiciones no te exagero al decirte que la unica que sirve es el estudio en Mi mayor, que me oiste practicar ahi. Entre los dos de la última hornada, hay uno, quel él propio intentó tocar, de un aburrimiento mortal. Intenta imitar a Bach y a la tercera fase de una progresión descendiente – de una regresión, por lo tanto – con que principia la obra, dan ganas de reir... No pude entonces resistir a la tentación de darle a conocer la suite en La menor que tu me escribiste...". Evidently, Andrés Segovia changed his mind about this severe criticism of the *Préludes*, to the point where he played the first and the third ones up until the end of his career, recording no. 1 in 1952 and no. 3 in 1954. The *Prélude no. 3*, that of the "regresión" that Segovia described in his letter, conceived as an homage to Johann Sebastian Bach, appeared in his 1954 record, next to a *Chaconne* written by the same Bach.

In the letter to Manuel Ponce, Segovia speaks of "seis preludios", with this allusion leading us to the oft-discussed topic of the possible existence of a sixth prelude. According to the volume dedicated to Villa-Lobos' guitar music, written by Turibio Santos,[4] a Brazilian concert guitarist and director for many years of the Museu Villa-Lobos in Rio de Janeiro, the existence of the piece, like its disappearance, was confirmed by the composer himself. In addition, his publication also contains a list of Villa-Lobos' compositions for and with guitar which was drawn up by the musicologist Hermínio Bello de Carvalho. Turibio Santos' affirmation of the existence of the sixth prelude is confirmed by de Carvalho, who, in addition, attributes a claim to the pianist José Vieira Brandão of having actually seen a copy of the piece: "Há pouco tempo, o professor Vieira Brandão me pregou um susto, dizendo que tinha a impressão de havê-lo guardado. O sexto, o Maestro considerava, textualmente, 'o mais bonito de todos'" [A little while ago, I was very surprised to learn from Professor Vieira Brandão that he had actually seen a copy. Maestro Villa-Lobos described the sixth prelude as "the most beautiful of all"].[5]

However, even today, one cannot help but notice that these reports, almost all of which come from a period dating many years after Villa-Lobos' death, are anecdotal in nature and completely devoid of any documentary evidence. The oldest of them, the letter of Andrés Segovia, can certainly not be considered any proof of the existence of a sixth prelude, because the definition "seis preludios" is reported in a sentence along with other information, none of which proves reliable, starting from the mathematical sum of the pieces (12 + 6 = 16!), up to the supposed dedication to the Spanish guitarist, which cannot be found in any source.

From the 1970s on, in relation to individual preludes, certain titles have circulated whose authorship has commonly been attributed to Villa-Lobos himself: however, it has not been possible to find any primary sources for these titles, and the only thing certain about them is that they have been presented as such by Turibio Santos in his aforementioned volume. Turibio Santos' source turns out to be a series of notes taken in 1958 during a talk given by Heitor Villa-Lobos. Consequently, these titles have been included here exclusively for the sake of completeness.

Prélude no. 1
Melodia Lírica – Homenagem ao sertanejo brasileiro
Prélude no. 2
Melodia Capadócia – Melodia Capoeira – Homenagem ao malandro carioca
Prélude no. 3
Homenagem a Bach
Prélude no. 4
Homenagem ao índio brasileiro
Prélude no. 5
Homenagem a vida social – "Aos rapazinhos e mocinhas fresquinhos que frequentam os concertos e os teatros no Rio" (sic).

In contrast to the *Douze Études*, the *Cinq Préludes* do not constitute a coherent cycle, but rather a heterogeneous collection, similar in spirit to a collection of pages from an album, with each one developing, in its own individual way, a different stylistic principle. Here, some of the composer's most beloved *topoi* can be recognised: such as his devotion to Johann Sebastian Bach, here expressed in the true and proper "bachiana brasileira" in miniature of his third *Prélude*; or the romantic lyricism of Frédéric Chopin, as heard in the *Prélude no. 1* and the second section of the *Prélude no. 5*; or traditional Brazilian music, either urban (*Prélude no. 5*), linked to the Indian minority (*Prélude no. 4*), or to the populations of African origin, such as in the *Prélude no. 2*. In the latter, in the second section, the imitation of the *berimbau* (a musical bow, typical of Angola, that has a gourd resonator and is played by striking its string with a stick) recalls the gripping atmosphere of the Angolan warrior's dance known as *capoeira*. Even from a formal point of view, the *Cinq Préludes* show a certain heterogeneity: three of them (first, second and fourth) follow a simple tripartite form (ABA), while the third *Prélude* opts for an ABAB form, with the fifth one, more complex, following an ABCA form. In terms of instrumental

---

[4] Turibio Santos, *Heitor Villa-Lobos e o Violão*, Museu Villa-Lobos, Rio de Janeiro, 1975.

[5] Turibio Santos refers to some talk about the sixth *Prélude* but does not seem very convinced of its actual existence, while Hermínio Bello de Carvalho did not hesitate in calling the collection *Seis preludios*. Ibid., 25 and 54.

technique, Heitor Villa-Lobos does not introduce any new elements with respect to the *Douze Études* or the *Suite populaire brésilienne*, but rather places the *Préludes* in a kind of ideal balance point between the still nineteenth-century writing style of the *Suite populaire brésilienne* and the daring instrumental experimentation of the *Douze Études*.

The Sources

The following sources were used in the preparation of this new edition:

1) Ms-HVL: autograph manuscripts by Villa-Lobos that have been conserved in the Museu Villa-Lobos of Rio de Janeiro (*Prélude no. 1* MVL 1994.21.0039 - *Prélude no. 2* MVL 1994.21.0040 - *Prélude no. 3* MVL 1994.21.0041 - *Prélude no. 5* MVL 1994.21.0044 e MVL 1994.21.0045).[6] *Préludes no. 1* and *3* have been respectively dated August and September 1940, all other *Préludes* in the collection are without date. The numeration is obviously a later addition, probably attributable to its author.

2) Ms-HVL2: autograph manuscripts of preparatory sketches for the *Prélude no. 1* (MVL 1993.21.0323 and mu 94.21.748) and for the *Prélude no. 4* (MVL 1994.21.0042 and MVL 1994.21.0043) conserved at the Museu Villa-Lobos of Rio de Janeiro. There are no dates in these manuscripts, which only hold fragments of pieces, without any fingering indications.

3) Ms-1947: a heliographic copy of the manuscripts containing *Préludes no. 1, 2* and *5*, dated 1947 and drown up, under the supervision of the author, by Arminda Neves de Almeida; the copy is conserved in the archives of Éditions Max Eschig, Paris. When he gave this heliograph to the publisher Max Eschig, in order to complete the collection, Villa-Lobos would also add the manuscript MV-1941, which is described lower down.

4) Ms-An: a heliographic copy of the manuscript of the *Prélude no. 4*, drown up under the author's supervision, carried out by an anonymous copyist and conserved at the Museu Villa-Lobos in Rio de Janeiro (MVL 1994.21.0379). The piece is dated August 1940. This manuscript, which seems to be the only complete one for the *Prélude no. 4* currently available, is written in the same hand as the non-autograph copy of five of the *Douze Études* that Heitor Villa-Lobos gave as a gift to the Uruguayan guitarist Abel Carlevaro in 1943.

5) MV-1941: print edition of the *Préludes no. 3* and *4*, published for the first time in January 1941 in the newsletter of the group Música Viva of Rio de Janeiro. This edition was used by the publisher Max Eschig to help to prepare the 1954 edition of the above-mentioned *Préludes*.

6) ME-1954: Max Eschig edition, published in 1954, under the supervision of Villa-Lobos himself, in five separate fascicles bearing the catalogue signatures M.E. 6731, 6732, 6733, 6734, 6735.

7) ME-1970: Max Eschig edition, published posthumously in 1970, containing the piano transcriptions of Villa-Lobos' *Cinq Préludes* by José Vieira Brandão, realised with the author's permission. The *Cinq Préludes* are presented in five separate fascicles with the numbers: M.E. 7324, 7951, 7325, 7326 and 7952.

8) ME-2007: Max Eschig edition presented as a "nouvelle édition revue et corrigée par Frédéric Zigante". It is a practical edition which bears the catalogue number DF 15722, with complete fingering indications added by the editor. It includes a very short critical apparatus.

---

[6] The manuscripts conserved at the Museu Villa-Lobos have, over time, been catalogued under at least three different systems; the ones used for this edition are the last to be carried out. One of the sources, mu 94.21.748 (201.1.4 in the first classification), has kept its former classification because it was never re-catalogued.

The Present Edition

The manifold editorial issues concerning Heitor Villa-Lobos' guitar music and its first editions have been affronted here by looking at all of the sources that are known today: these efforts have thus enabled us to put together a more reliable text than those before it both in terms of the notes and the fingerings.

Comparison between the various sources of the *Préludes* has only brought out relevant differences in the case of *Prélude no. 5*, which will be further discussed in the critical apparatus.

The author's original graphics which used two different note thicknesses in order to underline the differences in the weight of sound between the various parts has been restored here. This writing technique was also used by Villa-Lobos in his *Rudepoêma* for piano, written between 1921 and 1926, with the following instructions: "Les notes plus grosses sont pour les faire bien ressortir des plus petites" [The bigger notes are to stand out from the smaller ones].

Regarding the held notes and the polyphony in general, it was decided to keep the author's original notation, even when the actual length of the notes would be impossible to perform as they are written, or where the sound results in any case do not perfectly match the writing. The dashed slurs for the left hand are editorial suggestions, as are all indications set in square brackets.

When notating harmonics, Villa-Lobos writes out the pitches that one would normally hear if the strings were pressed on the fingerboard normally, rather than the ones that actually come out of the instrument when the fingerboard is lightly touched by the fingers of the left hand in the same place, producing a natural harmonic sound. This system, while intuitive and empirical, has the disadvantage of being completely foreign, in terms of pitch-height and harmony, to the notes that are effectively being produced; which is why it was considered preferable to add another staff with the actual sounding notes. The signs > and - are considered interchangeable by the author. The glissandos executed with the left hand are indicated with a long stroke between the effected notes. In several cases where the fingerings have been explicitly written out by the author, the finger indicated for the starting note is not the same as that indicated for the final one: meaning that the glissando effect is limited to just one part of the indicated string segment. For example, a 1-3 glissando indication on the fifth string ends two frets before the arrival note. The fingerings, barely alluded to in the 1954 edition or in the various surviving manuscripts, have been fully written out by the editor: Villa-Lobos' originals are written in italics, while the editor's additions use a regular font.

Frédéric Zigante
Turin, 9 October 2018
translation by Avery Gosfield

à Mindinha

Cinq Préludes
Prélude nº 1

Édition critique par
Frédéric Zigante

Heitor VILLA-LOBOS
1940

Andantino espressivo

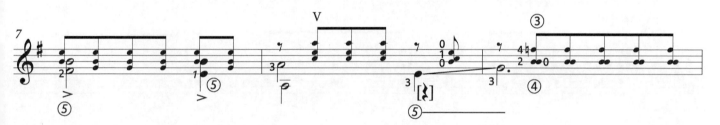

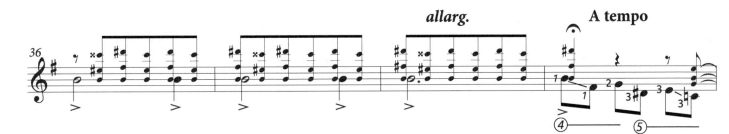

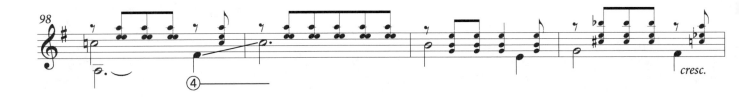

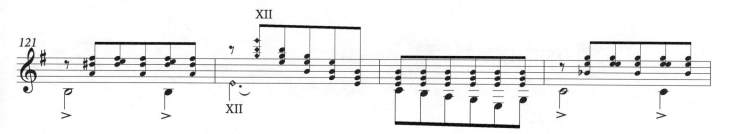

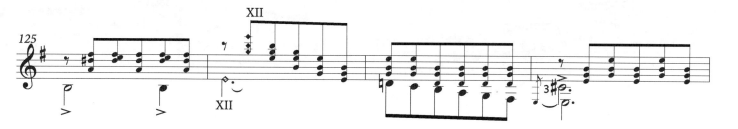

Prélude nº 2

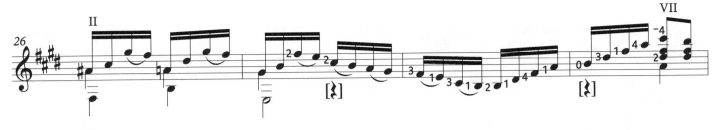

Più mosso

Tempo primo *rit.* **A tempo** *rit.* **A tempo**

rall.

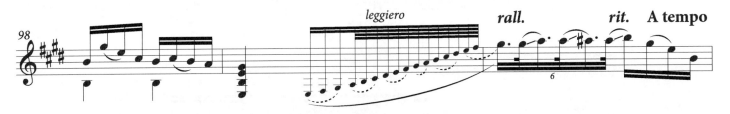

Prélude nº 3

DF 16578

Molto adagio e dolorido

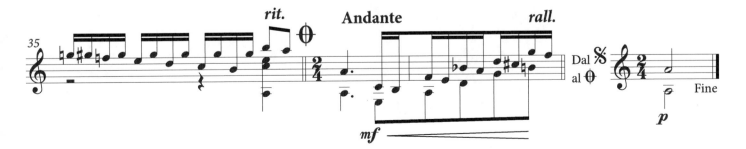

Prélude nº 4

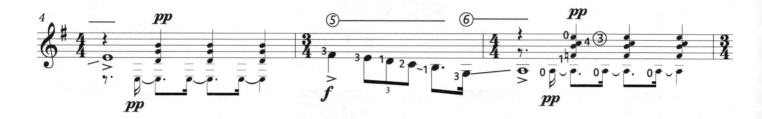

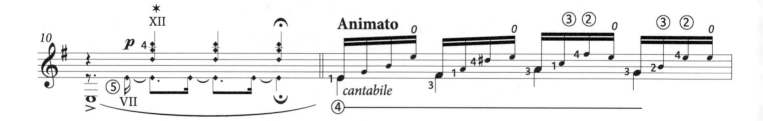

[le même doigté]

rall.

14

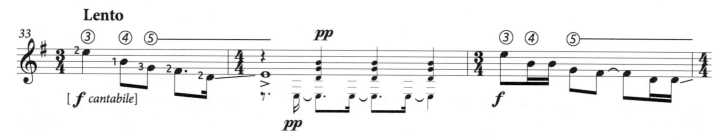

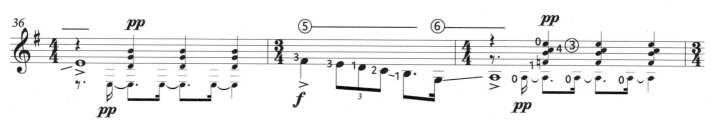

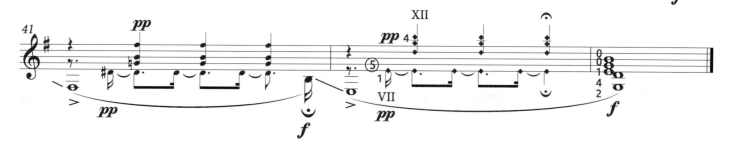

Prélude nº 5

Poco animato

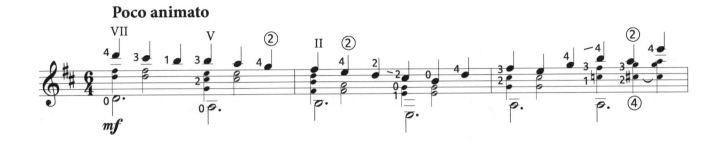

A tempo

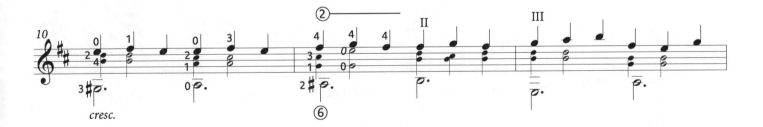

DF 16578

Meno

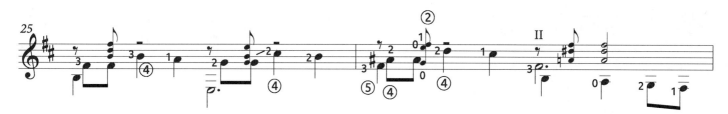

rall.

Manuscrit du *Prélude nº 5* (MVL 1994.21.0044), Museu Villa-Lobos, Rio de Janeiro

Commentaire critique, variantes et observations

Abréviations

Notation des mesures et des temps:

26, 27, 32: mesures 26, 27 et 32

26–32: de la mesure 26 à la mesure 32

26.3: mesure 26, 3ᵉ temps indiqué par le dénominateur d'indication de temps du morceau

26.3–28.2: depuis le 3ᵉ temps de la mesure 26 jusqu'au 2ᵉ temps de la mesure 28

Prélude nº 1

La nécessité évidente d'utiliser le pouce de la main droite en fonction mélodique dans toute la première et la troisième partie du morceau implique, parfois, l'anticipation du *mi* grave. Dans le texte, cette technique n'est indiquée explicitement qu'en de rares endroits, par exemple dans les mesures 128-130, mais elle est documentée dans un enregistrement audio de ce prélude réalisé à la fin des années 40 par le compositeur lui-même.

1

Ms-HVL2 (mu 94.21.748): indication agogique *Allegro agitato*.

4.1, 6.1

Ms-HVL2 (MVL 1993.21.0323): dans cette ébauche préparatoire, Villa-Lobos ajoute sous le *ré* en quatrième corde un *mi* grave sous la portée, en sixième corde, qu'il a successivement effacé. La même source présente également le *mi* grave au début de la mesure 6, ajouté sans doute en conséquence de la correction apportée à la mesure 4.

5.3-6.1, 17.3-18.1, 84.3-85.1, 96.3-97.1

Ms-HVL, Ms-1947, ME-1954: on y trouve des liaisons qui unissent les notes de la mélodie sur la quatrième corde. Elles pourraient signifier qu'il ne faut pas rejouer la note d'arrivée du portamento, mais il est plus probable qu'il s'agisse d'un signe, occasionnel, de phrasé.

7.1

Ms-HVL, MS-1947, ME-1954: le doigté 3 sur le *fa* est vraisemblablement une erreur, il faut lire 2.

59.1

Ms-HVL, MS-1947, ME-1954: les trois notes internes de l'accord sont des blanches pointées, dont la durée est impossible à tenir; c'est pourquoi nous avons adopté la leçon de la mesure 57.

Prélude nº 2

9

La leçon originale qu'on retrouve dans toutes les sources n'est pas correcte du point de vue arithmétique; nous l'avons toutefois maintenue, car dans le manuscrit du compositeur (MVL 1994.21.0040) il semblerait s'agir de petites notes et parce que l'écriture originale, bien qu'imprécise, donne l'idée de l'accélération progressive recherchée par Villa-Lobos.

Version corrigée arithmétiquement:

14.2

Ms-HVL, Ms-1947, ME-1954: dans toutes ces sources, les deux triolets sont composées de trois doubles croches. C'est vraisemblablement une coquille. Dans la version pour piano de José Vieira Brandão (ME-1970), autorisée par le compositeur, on a des triples croches.

34.2

MS-HVL: le *mi* sur la sixième corde est un *mi*♯.

35-36

Les doigtés de la main droite, donnés entre crochets dans cette édition, sont proposés par le réviseur. D'autres solutions seraient possibles, mais la suivante reflète probablement mieux l'intention du compositeur, qui a indiqué ce genre de doigté pour des arpèges du même type dans les *Études* nᵒˢ 10 et 11 du cycle des *Douze Études*.

Prélude nº 3

14, 15

Le doigté inusuel que nous donnons, en huitième position, bien qu'il ne soit pas noté par le compositeur, est le seul qui permette de tenir l'intervalle *si*♭–*mi* sur la durée indiquée. Presque tous les interprètes optent pour un doigté qui, sacrifiant légèrement la durée des notes internes, permet de maintenir la mélodie en première corde, comme ci-dessous :

23-27, 30-34

Ms-HVL : aucun glissé (trait long) n'est indiqué ni dans le troisième mouvement ni dans le quatrième.

Toutefois, dans l'édition publiée en 1940 dans la revue du groupe Música Viva (MV-1941), qui a servi de base (plutôt qu'un manuscrit) pour l'édition ME-1954, les portamentos sont marqués. Il s'agit probablement d'un ajout fait par le compositeur lors de la publication du prélude dans la revue.

29.2

Ms-HVL : le *sol*♯ sur la deuxième ligne est omis.
MV-1941 et ME-1954 : *sol*♯ sur la deuxième ligne.

Prélude nº 4

24

Ms-An : le *rall.* se trouve sur la dernière noire.

25-26

Mise à part l'indication de triolet sur les deux dernières notes de la mesure 25 (dans Ms-An, MV-1941 et ME-1954, un 2 corrigé en un 3), nous avons respecté intégralement la graphie telle qu'elle se présente dans les sources complètes connues. Il se peut que la liaison entre le *sol* dernière note de la mesure 25 et le *si* acciaccatura de la mesure 26 soit une notation de doigté pour la main droite, signifiant le glissement de l'index droit de la première à la deuxième corde. Cette technique est expressément indiquée dans le manuscrit de 1928 de l'*Étude nº 1* du même compositeur.

Prélude nº 5

Parmi les *Préludes*, le cinquième est le seul qui, dans une source manuscrite (MVL 1994.21.0045), présente une version différente de celle publiée en 1954. Dans ce manuscrit, en effet, Heitor Villa-Lobos prévoyait une reprise intégrale de la première partie du *Prélude* (mesures 1-16) à insérer entre les mesures 32 et 33. Il s'agissait donc d'une forme de rondeau (ABACA) analogue à celle des mouvements de la *Suite populaire brésilienne* : une *Valsa-Chôro*. Cette variante et le style proche de celui de la *Suite populaire brésilienne* permettent d'avancer l'hypothèse que le *Prélude nº 5* aurait été composé quelques années avant 1940 et introduit par la suite dans le recueil. Les différences concernent également le

tempo initial (¾ du manuscrit MVL 1994.21.0045 contre le ⁶⁄₄ de l'édition) ainsi que certaines solutions graphiques et harmoniques énumérées ci-dessous.

Ci-après le chiffrage des mesures est le ⁶⁄₄ de la version définitive ; quant à la barre de mesure en traitillé, elle se réfère à la division en ¾ de MVL 1994.21.0045.

2

Ms-HVL (MVL 1994.21.0045)

5

Ms-HVL (MVL 1994.21.0045) : sur la quatrième noire (en ⁶⁄₄) la basse est un *mi* en sixième corde au lieu du *la* en cinquième.

7.1, 49.1

Dans toutes les sources, cette mesure est notée comme suit, sans prolongement des sons du premier accord, qui a valeur de noire au lieu de blanche pointée.

9

Ms-HVL (MVL 1994.21.0045)

11, 53

Ms-HVL (MVL 1994.21.0045)

Ms-HVL (MVL 1994.21.0044) présente sur le deuxième temps un *ut* effacé et corrigé en un *mi* dans le dernier interligne.

15-16

Ms-HVL (MVL 1994.21.0045) : cette version comporte l'ajout d'un accord d'une valeur de trois temps entre les deux accords de la même durée avec lesquels se termine la première section de la pièce. À noter également l'écriture du dernier accord, où la note non alignée est le *ré* sur la quatrième ligne, alors que dans toutes les autres sources la note non alignée est le *si*.

17-32
Ms-HVL (MVL 1994.21.0045)

33-42
Ms-HVL (MVL 1994.21.0045)

Commento critico, varianti e osservazioni

Abbreviazioni

Notazione delle battute e dei tempi:
26, 27, 32: battute 26, 27 e 32
26–32: da battuta 26 a battuta 32
26.3: battuta 26, 3° tempo indicato dal denominatore dell'indicazione di tempo del brano
26.3–28.2: dal 3° tempo di battuta 26 al 2° tempo di battuta 28
26.3 e 28.3: sul 3° tempo di battuta 26 e sul 3° tempo di battuta 28

Prélude n. 1

L'evidente necessità di mantenere il pollice della mano destra in funzione melodica per tutta la prima e la terza parte del brano implica, a volte, l'uso dell'anticipazione del *mi* basso. Raramente questa tecnica è scritta esplicitamente nel testo, per esempio nelle battute 128-130, ma è documentata da una registrazione audio di questo brano realizzata alla fine degli anni '40 dall'autore stesso.

1
Ms-HVL2 (mu 94.21.748): agogica *Allegro agitato*.

4.1, 6.1
Ms-HVL2 (MVL 1993.21.0323): in questa bozza preparatoria, Villa-Lobos aggiunge sotto il *re* in quarta corda un *mi* basso sotto il pentagramma in sesta corda che successivamente è stato sbarrato. Questa fonte presenta anche il *mi* basso a inizio battuta 6, evidentemente aggiunto come conseguenza della correzione a battuta 4.

5.3-6.1, 17.3-18.1, 84.3-85.1, 96.3-97.1
Ms-HVL, Ms-1947, ME-1954: sono presenti legature che uniscono la melodia in quarta corda. Per quanto potrebbe significare che non occorre ribattere la nota di arrivo del portamento, è tuttavia più probabile che si tratti di una sporadica indicazione di fraseggio.

7.1
Ms-HVL, MS-1947, ME-1954: la diteggiatura 3 sul *fa* è probabilmente un refuso, va letta come 2.

59.1
Ms-HVL, MS-1947, ME-1954: il valore delle tre parti interne dell'accordo è di minima con il punto, valore che non è possibile tenere, perciò abbiamo adottato la lezione di battuta 57.

Prélude n. 2

9
La lezione originale, concordante in tutte le fonti, non è aritmeticamente corretta; tuttavia l'abbiamo mantenuta poiché sul manoscritto dell'autore (MVL 1994.21.0040) sembrerebbe trattarsi di note in corpo piccolo (notine) e perché la scrittura originale, per quanto imprecisa, dà l'idea della progressiva accelerazione ricercata da Villa-Lobos.

Versione corretta aritmeticamente:

14.2
Ms-HVL, Ms-1947, ME-1954: in tutte le fonti le due terzine sono composte da tre semicrome ciascuna. Si tratta probabilmente di un refuso. Nella versione per pianoforte di José Vieira Brandão (ME-1970), autorizzata dall'autore, sono biscrome.

34.2
MS-HVL: il *mi* in sesta corda è diesis.

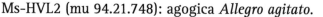

35-36
La diteggiatura della destra, in questa edizione proposta fra parentesi quadre, è del revisore. Altre combinazioni sarebbero possibili ma quella qui riportata è probabilmente la più vicina all'intenzione dell'autore, che l'ha annotata per arpeggi simili nelle *Études nn. 10* e *11* del ciclo *Douze Études*.

Prélude n. 3

14, 15
L'inusuale diteggiatura da noi riportata, in ottava posizione, per quanto non annotata dall'autore, è l'unica che consente di tenere il bicordo *si♭–mi* per la durata indicata. Quasi tutti gli interpreti optano per una diteggiatura che, sacrificando leggermente la durata delle parti interne, consente di mantenere la melodia in prima corda, come qui illustrato:

23-27, 30-34
Ms-HVL: nessun glissato (tratto lungo) è indicato tra il terzo e il quarto movimento.
Tuttavia, nell'edizione pubblicata nel 1940 sulla rivista del gruppo Música Viva (MV-1941), servita come base (invece di un manoscritto) per incidere l'edizione ME-1954, i portamenti compaiono. Si tratta probabilmente di un'aggiunta fatta dall'autore in occasione della pubblicazione del pezzo nella rivista.

29.2
Ms-HVL: il *sol*♯ sul secondo rigo è omesso.
MV-1941 e ME-1954: *sol*♯ sul secondo rigo.

Prélude n. 4

24
Ms-An: il *rall.* si trova sull'ultimo quarto.

25-26
Eccetto l'indicazione di terzina delle ultime due note di battuta 25 (in Ms-An, MV-1941 e ME-1954, un 2 corretto con un 3), abbiamo conservato integralmente la grafia così come si presenta nelle fonti complete conosciute. È possibile che la legatura tra il *sol* ultima nota di b. 25 e il *si* acciaccatura di b. 26 sia un'indicazione di diteggiatura per la mano destra e indichi lo scivolamento dell'indice della mano destra dalla prima alla seconda corda. Questa tecnica è esplicitamente annotata nel manoscritto del 1928 dell'*Étude n. 1* dello stesso autore.

Prélude n. 5

Fra i *Préludes* questo è l'unico che presenta in una fonte manoscritta (MVL 1994.21.0045) una differente versione del brano rispetto a quella pubblicata nel 1954. In questo manoscritto infatti Heitor Villa-Lobos prevede anche una ripresa integrale della prima parte del *Prélude* (battute 1-16) da inserire tra le battute 32 e 33. Si trattava dunque di una forma di rondeau (ABACA) analoga a quella dei movimenti della *Suite populaire brésilienne*: una *Valsa-Chôro*. Queste differenze e lo stile vicino a quello della *Suite populaire brésilienne* consentono di avanzare l'ipotesi che il *Prélude n. 5* sia stato composto qualche anno prima del 1940 e poi inserito nella raccolta. Le differenze riguardano il tempo iniziale (¾ del manoscritto MVL 1994.21.0045 invece dei 6/4 dell'edizione) e alcune soluzioni grafiche ed armoniche che riportiamo sotto.
Qui di seguito la numerazione delle battute è quella in 6/4 della versione definitiva; la battuta tratteggiata invece si riferisce alla divisione in ¾ di MVL 1994.21.0045.

2
Ms-HVL (MVL 1994.21.0045)

5
Ms-HVL (MVL 1994.21.0045): sulla quarta semiminima (in 6/4) il basso è *mi* in sesta corda invece di *la* in quinta corda.

7.1, 49.1
In tutte le fonti questa battuta è così annotata, senza prolungare i suoni del primo accordo che è di semiminima invece di minima con il punto.

9
Ms-HVL (MVL 1994.21.0045)

11, 53
Ms-HVL (MVL 1994.21.0045)

Ms-HVL (MVL 1994.21.0044) riporta sul secondo tempo un *do* sbarrato e corretto con *mi* ultimo spazio.

15-16
Ms-HVL (MVL 1994.21.0045): questa versione presenta l'aggiunta di un accordo di tre quarti prima dei due accordi della stessa durata che chiudono la prima sezione del brano. Si noti anche la scrittura dell'ultimo accordo nel quale la nota non allineata è il *re* sul quarto rigo, mentre in tutte le altre fonti la nota non allineata è il *si*.

17-32
Ms-HVL (MVL 1994.21.0045)

33-42
Ms-HVL (MVL 1994.21.0045)

Critical commentary, variants and observations

Abbreviations
Notation of bars and beats:
26, 27, 32: bars 26, 27 and 32
26–32: from bar 26 to bar 32
26.3: bar 26, 3rd beat
26.3–28.2: from 3rd beat of bar 26 to 2nd beat of bar 28
26.3 e 28.3: on 3rd beat of bar 26 and 3rd beat of bar 28

Prélude no. 1

The evident necessity of keeping the right-hand thumb in melodic function for all of the first and third parts of the piece means that the low E sometimes needs to be played beforehand. This technique is rarely written out explicitly in the score, although there is an example in measures 128-130, but has been documented in an audio recording from the 1940s made by the composer himself.

1
Ms-HVL2 (mu 94.21.748): agogic indication, *Allegro agitato.*

4.1, 6.1
Ms-HVL2 (MVL 1993.21.0323): in this preparatory sketch, under a D on the fourth string, Villa-Lobos added a low E below the staff that was meant to be played on the sixth string but was later crossed out. This source also has a low E at the beginning of measure 6, which was evidently added in consequence to the correction in measure 4.

5.3-6.1, 17.3-18.1, 84.3-85.1, 96.3-97.1
Ms-HVL, Ms-1947, ME-1954: in these sources, there are slurs connecting the notes of the melody played on the fourth string. Although it could be an indication not to repeat the final note of the portamento, it is more likely an occasional phrase mark.

7.1
Ms-HVL, MS-1947, ME-1954: the fingering indication 3 over the F is probably a mistake, and should be read as a 2.

59.1
Ms-HVL, MS-1947, ME-1954: in the original, all three voices in the chord are a dotted half note long, a note too long to actually be played. Therefore, we have decided to give it the same reading as in measure 57.

Prélude no. 2
9
The original notation, that can be found in all of the sources, is mathematically incorrect; despite this, we have kept it as is, because in the author's original manuscript (MVL 1994.21.0040) it seems as if they were written smaller than the other notes. Furthermore, the original notation, even if not completely accurate, gives the idea of the progressive acceleration that Villa-Lobos was looking for.

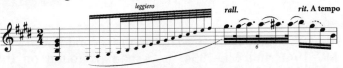

Version corrected mathematically:

14.2
Ms-HVL, Ms-1947, ME-1954: in all of these sources the two triplets are made up by sixteenth notes, which is probably a mistake. In the version for piano by José Vieira Brandão (ME-1970), authorised by the composer, they are notated as thirty-second notes.

34.2
MS-HVL: the E on the sixth string is actually an E-sharp.

35-36
The right-hand fingerings, written between square parentheses in this edition, are the editor's suggestions. Although other combinations are certainly possible, the ones proposed here are probably those closest to the composer's intentions, who wrote them out this way for similar arpeggios in his *Études no. 10* and *11* from the *Douze Études* cycle.

Prélude no. 3

14, 15
Even if they were not written by the author, the unusual fingerings in eighth position shown here are the only ones that allow the player hold out the B-flat / E bichord for the length indicated. Almost all performers opt for a fingering that, while slightly sacrificing the length of the notes in the inner voices, allows the melody to be played entirely on the first string, as shown in this example:

23-27, 30-34
Ms-HVL: there are no glissandos (the long strokes in this edition) indicated in the third or fourth movements. Nevertheless, portamentos do appear in the edition published in 1940 in the magazine of the group Música Viva (MV-1941), which was used as the basis (instead of a manuscript) for the ME-1954 edition. Most probably, these were modifications added by the author in view of its upcoming magazine publication.

29.2
Ms-HVL: there is no G-sharp on the second line.
MV-1941 and ME-1954: a G-sharp is found on the second line.

Prélude no. 4

24
Ms-An: the *rall.* indication is found over the last quarter.

25-26
Except for the triplet indication over the last two notes of measure 25 (in Ms-An, MV-1941 and ME-1954, the 2 is corrected with a 3), we have kept the writing exactly as it is found in all of the complete sources known today. It is possible that the slur between the G that closes m. 25 and the acciaccatura on B in measure 26 is actually a fingering indication for the right hand, signalling that the right index finger should slide from the first to the second string: a technique that is written out explicitly in the 1928 manuscript of the *Étude no. 1*.

Prélude no. 5

Of all of the *Préludes*, this is the only one that presents a different version in a manuscript source (MVL 1994.21.0045) than that published in 1954. In fact, in this manuscript, Heitor Villa-Lobos envisaged inserting a repetition of the first part of the *Prélude* in its entirety (measures 1-16) between measures 32 and 33. We would be talking, therefore, about a rondeau form (ABACA) like that found in the movements of the *Suite populaire brésilienne*: a *Valsa-Chôro*. These differences, and the stylistic similarities to the *Suite populaire brésilienne*, make it possible to venture a hypothesis that the *Prélude no. 5* was actually composed a few years before 1940

and then incorporated into the collection. The main differences between the two versions regard the opening time signature: (¾ in the MVL 1994.21.0045 manuscript, rather than the 6/8 found in the published edition) as well as the different ways of treating the visual presentation and certain harmonies that can be seen hereunder. Hereafter, the numbering of the measures will be that of the definitive version in 6/8; while the dashed measures refer to the division in ¾ found in MVL 1994.21.0045.

2
Ms-HVL (MVL 1994.21.0045)

5
Ms-HVL (MVL 1994.21.0045): on the fourth quarter note (in 6/8) the bass note is an E, played on the sixth string, rather than an A played on the fifth one.

7.1, 49.1
In all of the sources, this measure is written out in this way, without prolonging the sound of the first chord, which is notated as a quarter note instead of as a dotted half note. This edition standardises following 49.1.

9
Ms-HVL (MVL 1994.21.0045)

11, 53
Ms-HVL (MVL 1994.21.0045)

Ms-HVL (MVL 1994.21.0044): on the second beat, the C is crossed out and corrected with an E on the last space.

15-16
Ms-HVL (MVL 1994.21.0045): this version has an added ¾ chord between the two chords of the same duration which conclude the first section of the piece. The way in which the last chord is written is worth noting: in this source, the note which is not aligned with the others is a D on the fourth line, while in all the others it is a B.

17-32
Ms-HVL (MVL 1994.21.0045)

33-42
Ms-HVL (MVL 1994.21.0045)